zhè shì xiǎo gǒu de bà ba mā ma

这是小狗的爸爸妈妈。

3

zhè shì xiǎo yáng de bà ba mā ma
这是小羊的爸爸妈妈。

4

轻松猫 中文分级读物
Graded Chinese Readers

zhè shì wǒ men de bà ba mā ma
这是我们的爸爸妈妈

肖宁遥 著

北京语言大学出版社
BEIJING LANGUAGE AND CULTURE
UNIVERSITY PRESS

zhè shì xiǎo māo de bà ba mā ma
这是小猫的爸爸妈妈。

zhè shì wǒ de bà ba mā ma

这是我的爸爸妈妈。

wǒ men de bà ba mā ma dōu ài wǒ men
我们的爸爸妈妈都爱我们，

wǒ men dōu ài wǒ men de bà ba mā ma
我们都爱我们的爸爸妈妈。

6

zhè shì xiǎo zhū de bà ba mā ma
这是小猪的爸爸妈妈。

zhè shì xiǎo niú de bà ba mā ma
这是小牛的爸爸妈妈。

zhè shì xiǎo xióng de bà ba mā ma
这是小熊的爸爸妈妈。

zhè shì wǒ de bà ba mā ma

这是我的爸爸妈妈。